D1540963

Gallimard Jeunesse / Giboulées sous la direction de Colline Faure-Poirée

© Gallimard Jeunesse, 2000
ISBN : 2-07-052757-3
Premier dépôt légal : mai 2000
Dépôt légal : avril 2006
Numéro d'édition : 144018
Loi n°49956 du 16 juillet 1949
sur les publications destinées à la jeunesse
Imprimé en France en avril 2006 par *Partenaires-Book*® (JL)

Maud la Taupe

Antoon Krings

GALLIMARD JEUNESSE / GiBOULÉES

Un jour qu'il était à quatre pattes dans le pré en train de chercher un porte-bonheur à quatre feuilles, Benjamin le lutin sentit soudain une poussée obscure monter du sol. «Bigre, voilà que ça tremble !» dit-il avec stupeur, avant de trébucher sur une grosse motte de terre. «Bigre, ça tremble fort !» répéta-t-il pendant que la butte remuait et gonflait irrésistiblement. Encore quelques pelletées et enfin la taupe fouisseuse apparut.

– Tu, tu, tu l'as fait exprès, tête de bêche, crachota Benjamin dès qu'il put retrouver la parole.

Il gesticulait tellement que la taupe sursauta, en écarquillant tout grand ses petits yeux de myope.

– Oh, Benjamin, si tu savais comme je suis heureuse de t'entendre !

– Ah vraiment ? grommela le petit homme. Ça tombe bien, ça tombe à pic même. J'étais justement en train de me rouler dans les trèfles en me demandant ce que devenait cette vieille taupe de Maud.

– Je suis dans un tel désarroi… Mon
trésor… mon cher trésor…
– Eh bien quoi, ton trésor ? dit
Benjamin.
– Je l'avais pourtant enfoui dans un joli
petit nid, poursuivit l'infortunée.
Un endroit sûr… Il n'a quand même
pas pu se sauver.
– Il s'est peut-être envolé, ironisa
le lutin tout en s'éloignant. Quand
tu auras fini de remuer la terre, il ne
te restera plus qu'à remuer le ciel avec
les abeilles, ajouta-t-il avant de
disparaître.

– Merci ! Merci mille fois ! dit Maud, pleine de reconnaissance.

Et elle partit en toute hâte interroger les abeilles dont elle entendait au loin l'incessant bourdonnement.

– Écoute, lui dit Mireille. L'unique trésor que je connaisse, seules les abeilles peuvent le trouver. Il est caché dans les fleurs… les fleurs que tu piétines allègrement, si tu vois ce que je veux dire.

Maud, qui voyait à peine, dit : «Oh, merci», tout en s'empressant d'ouvrir quelques fleurs. Mais les tournoiements et les vombrissements de Mireille au-dessus de sa tête se faisaient de plus en plus menaçants. Aussi préféra-t-elle s'éloigner avant d'être piquée. La maladroite piétina encore quelques fleurs, puis disparut derrière la haie.

– Pouvez pas regarder où vous marchez !
s'écria soudain Barnabé. Z'avez failli
m'écraser !
– Oh pardon, dit la taupe en se
précipitant pour relever le scarabée
qu'elle venait de renverser. Je ne vous
avais pas vu.
– Z'aviez surtout le nez en l'air,
répliqua-t-il d'un ton acerbe.
– C'est que, voyez-vous, mon trésor
s'est envolé, avoua Maud d'une petite
voix chagrine.

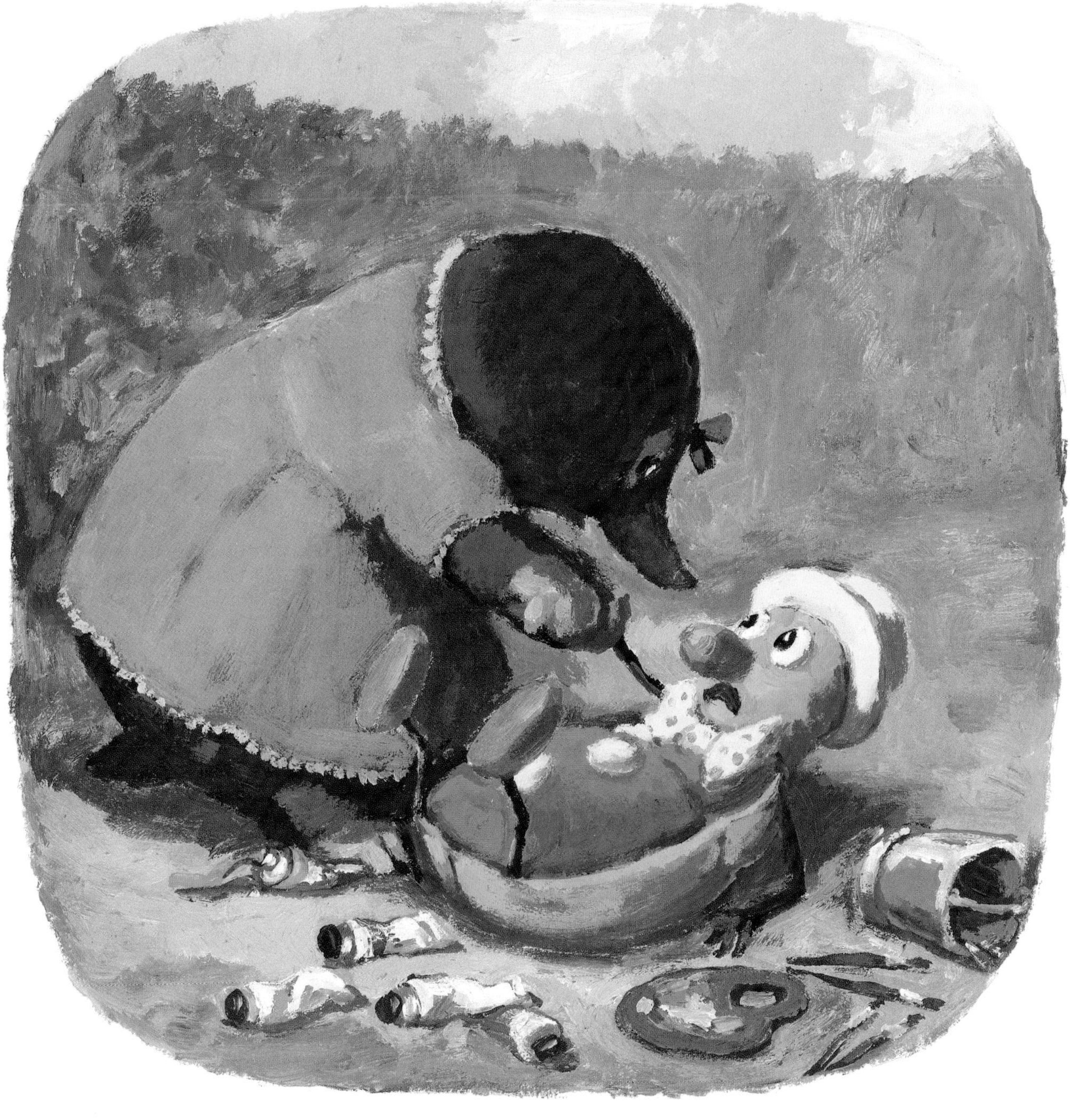

– Dites pas de sottises ! On n'a jamais
vu un trésor tomber du ciel, s'exclama
le scarabée. Feriez mieux de courir après
le voleur, et quand vous l'aurez attrapé,
prévenez-moi, ajouta-t-il plus
conciliant. Parce que j'aimerais bien
récupérer ma boîte de peinture.
– Ma foi, dit Maud un peu gênée, j'y
penserai.
Et elle poursuivit sa course désordonnée
à travers le jardin.

Pendant ce temps, Benjamin le lutin réfléchissait en tirant sur sa barbe.
Et plus il tirait dessus, plus il pensait que se creuser la tête n'était pas une bonne solution pour chercher un trésor.
Il décida ainsi de creuser la terre.
Il creusa, creusa tant qu'il se trouva bientôt dans un très grand trou… au fond duquel il s'écria furieux : « Mais où donc cette vieille taupe a-t-elle pu l'enfouir ?! »

Et tandis qu'il s'arrachait les poils
de la barbe, le sol glissa sous ses pieds,
et il tomba dans la taupinière.
C'est alors qu'il découvrit, stupéfait…
le nœud usé de Mireille, un peigne
édenté de Loulou, la boîte de peinture
rouillée de Barnabé, enfin, tout un tas
de vieilles choses sans importance qu'il
jeta rageusement dans le jardin.

À cet instant, la taupe qui, depuis quelque temps, surveillait le lutin d'un air inquiet, s'écria :

– Mon trésor ! Mon trésor !

– Eh bien quoi encore ? grogna le petit homme.

– Mais tu as découvert mon trésor, Benjamin ! s'exclama Maud. N'est-ce pas merveilleux ?

– Ah c'est ça ? dit-il avec mépris. C'est bien ça que nous cherchons ?

– Oui, tout cela, confirma la taupe.
Et ça aussi, ajouta-t-elle en montrant
fièrement le chapeau troué de Siméon
et le seau percé de Léon. Oh, Benjamin,
si tu savais le plaisir que tu me fais en
ayant retrouvé mon trésor !

Le lutin réfléchit un peu, puis il baissa
les yeux modestement, et finit par dire
d'un ton désinvolte :
– Bah, ce n'est rien, Maud. Il suffit
d'avoir la chance de tomber dessus…
C'est comme pour les trèfles
à quatre feuilles !